Gerda Raidt, geb. 1975, studierte an der Burg Giebichenstein Halle und an der HGB Leipzig. Sie arbeitet als freie Illustratorin und Autorin. Bei Beltz und Gelberg erschienen von ihr die Sach-Bilderbücher **Die Straße, In die neue Welt** sowie zuletzt **Meine ganze Familie.**

Dieses Buch wurde umweltfreundlich ausgestattet. Es verzichtet auf eine Folienkaschierung und wurde mit mineralölfreien und Cradle-to-Cradle zertifizierten Druckfarben auf 100% Recyclingpapier gedruckt.

Dieses Buch ist erhältlich als:
ISBN 978-3-407-81215-5 Print

in der Verlagsgruppe Beltz · Weinheim Basel
Werderstraße 10, 69469 Weinheim

Konzept, Text und Illustration: Gerda Raidt
vermittelt durch die Agentur Susanne Koppe, Hamburg
www.auserlesen-ausgezeichnet.de
Lektorat: Stefanie Schweizer
Innen- und Einbandgestaltung: Gerda Raidt
Herstellung: Elisabeth Werner
Druck und Bindung: Beltz Grafische Betriebe, Bad Langensalza
Printed in Germany
6 23 22 21 20

Weitere Informationen zu unseren Autor_innen und Titeln finden Sie unter: www.beltz.de

Gerda Raidt

Müll

Alles über die lästigste Sache der Welt

BELTZ
& Gelberg

Was man auch tut – oft bleibt dabei etwas **Müll** übrig.

Müll ist **lästig.** Man will ihn schnell loswerden und dann nichts mehr damit zu tun haben.

Aber Müll ist nicht gleich Müll.
Was der eine wegwirft, kann für jemand anderen noch einen **Wert** haben.

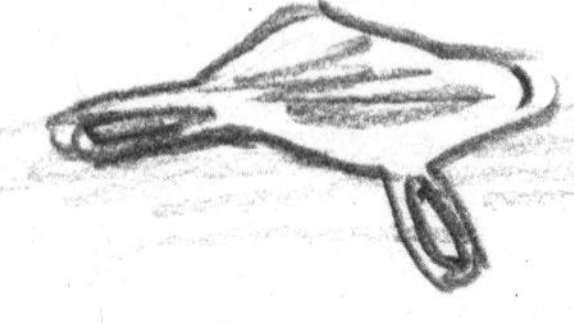

Manchmal wirft man Dinge weg,
die man eigentlich noch benutzen könnte.

Anderes ist kaputt, aber man bewahrt es
trotzdem auf. Es ist gar nicht so klar,
was eigentlich Müll ist. Jeder entscheidet
es selbst.

Müll kann sogar ins **Museum** kommen. Vor über hundert Jahren präsentierte jemand auf einer Ausstellung ein Klo und erklärte, es sei ein Kunstwerk. Seitdem wurde schon aller möglicher Unrat in Museen und Kunstgalerien ausgestellt. Dort ist es dann kein Müll mehr. Es wird sogar viel Geld dafür bezahlt.

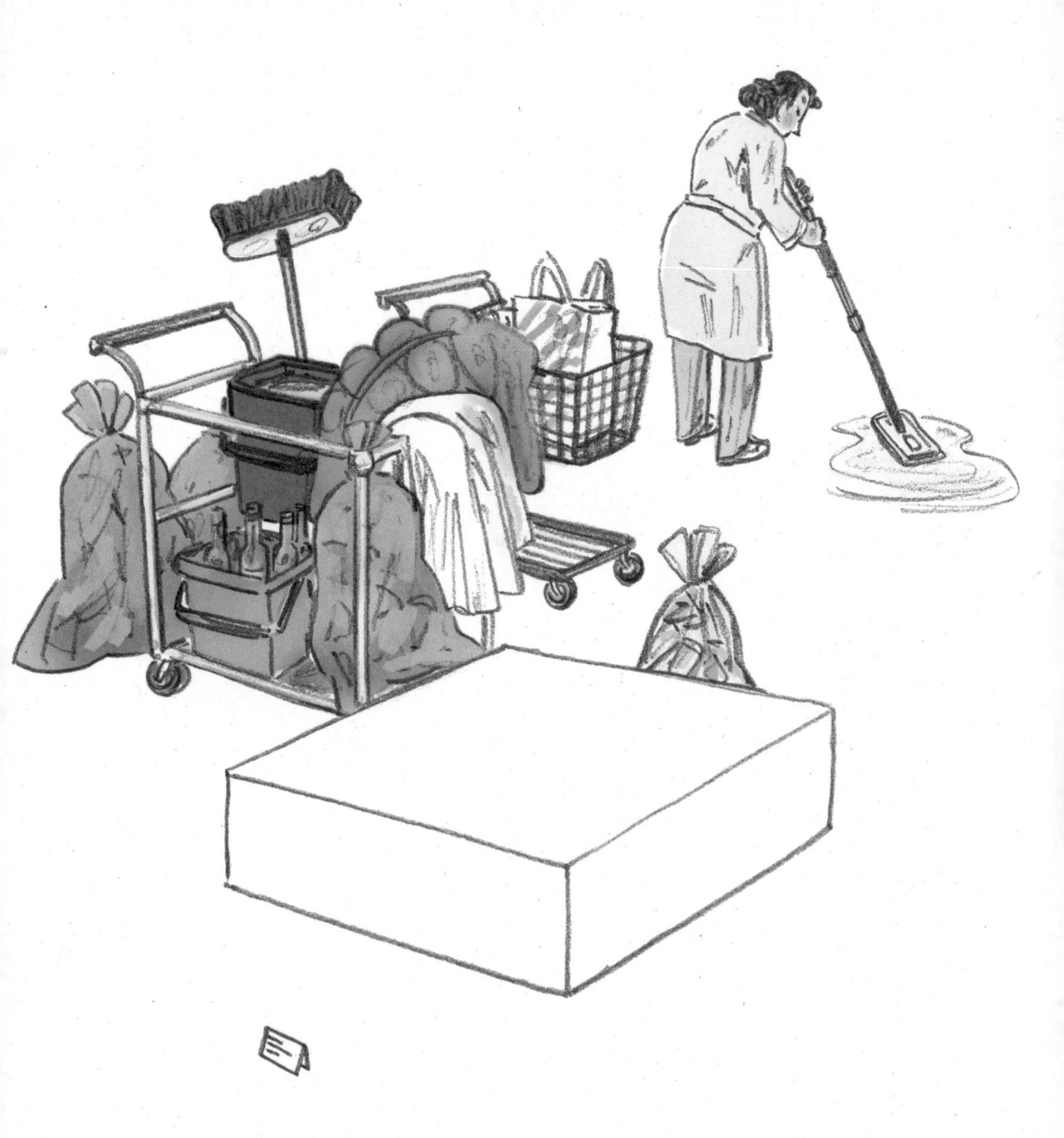

Manchmal wird solche Kunst dann versehentlich für Müll gehalten und entsorgt.

*1)

Im Museum wird auch sehr alter Müll ausgestellt.
Er ist so kostbar, dass Forscher sogar gezielt danach suchen:

Der alte Müll kann uns viel darüber erzählen, wie die Menschen in der Vergangenheit gelebt haben. Ob sie reich oder arm waren, was sie gegessen haben, was sie besessen haben, was ihnen wichtig war – und was nicht.

Und was wird man später von uns finden? Wahrscheinlich das, was jetzt in unseren **Mülleimern** liegt. Schau mal nach!

Der Müll besteht aus den vielen Dingen, die wir täglich benutzen und wegwerfen. All dieser Müll muss regelmäßig aus der Wohnung geschafft werden. In manchen Familien ist das die Aufgabe der Kinder.

Der Müll wird in verschiedene **Mülltonnen** geworfen. Das sieht überall ein bisschen anders aus, aber meistens ungefähr so:

Diese Tonnen werden regelmäßig von der Müllabfuhr geleert und der Müll in großen Autos davongefahren.

Außerdem gibt es noch besonderen Müll, für den es keine Tonnen gibt:

Wenn die **Müllabfuhr** kommt, wird der Müll davongefahren und ist nicht mehr zu sehen. Aber weg ist er noch lange nicht.

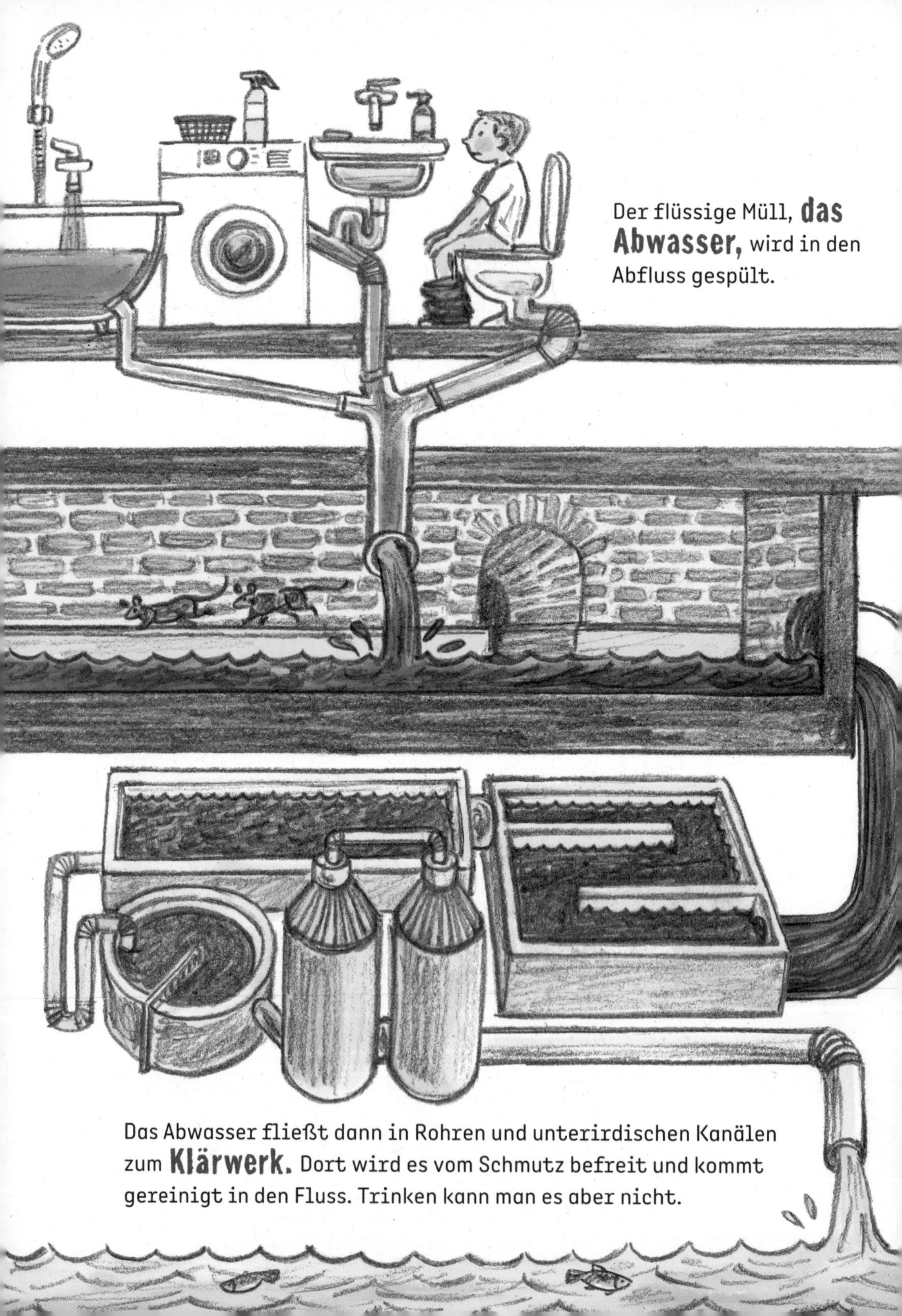

Der flüssige Müll, **das Abwasser,** wird in den Abfluss gespült.

Das Abwasser fließt dann in Rohren und unterirdischen Kanälen zum **Klärwerk.** Dort wird es vom Schmutz befreit und kommt gereinigt in den Fluss. Trinken kann man es aber nicht.

Der Biomüll wird in eine **Kompostieranlage** gebracht.
Oft sind das Hallen und ein großer freier Platz, auf denen der Abfall in langen Haufen einige Wochen vor sich hin rottet. Man muss nicht viel tun. Bakterien erledigen die Arbeit. Am Ende wird aus Biomüll ein guter Kompost, den man als Dünger oder Blumenerde an Bauern und Gärtnereien verkaufen kann. In einigen neuen Anlagen sind besondere Bakterien am Werk, die Biogas produzieren. Das Gas kann man verbrennen und damit Strom erzeugen. Im Müll steckt **Energie.**

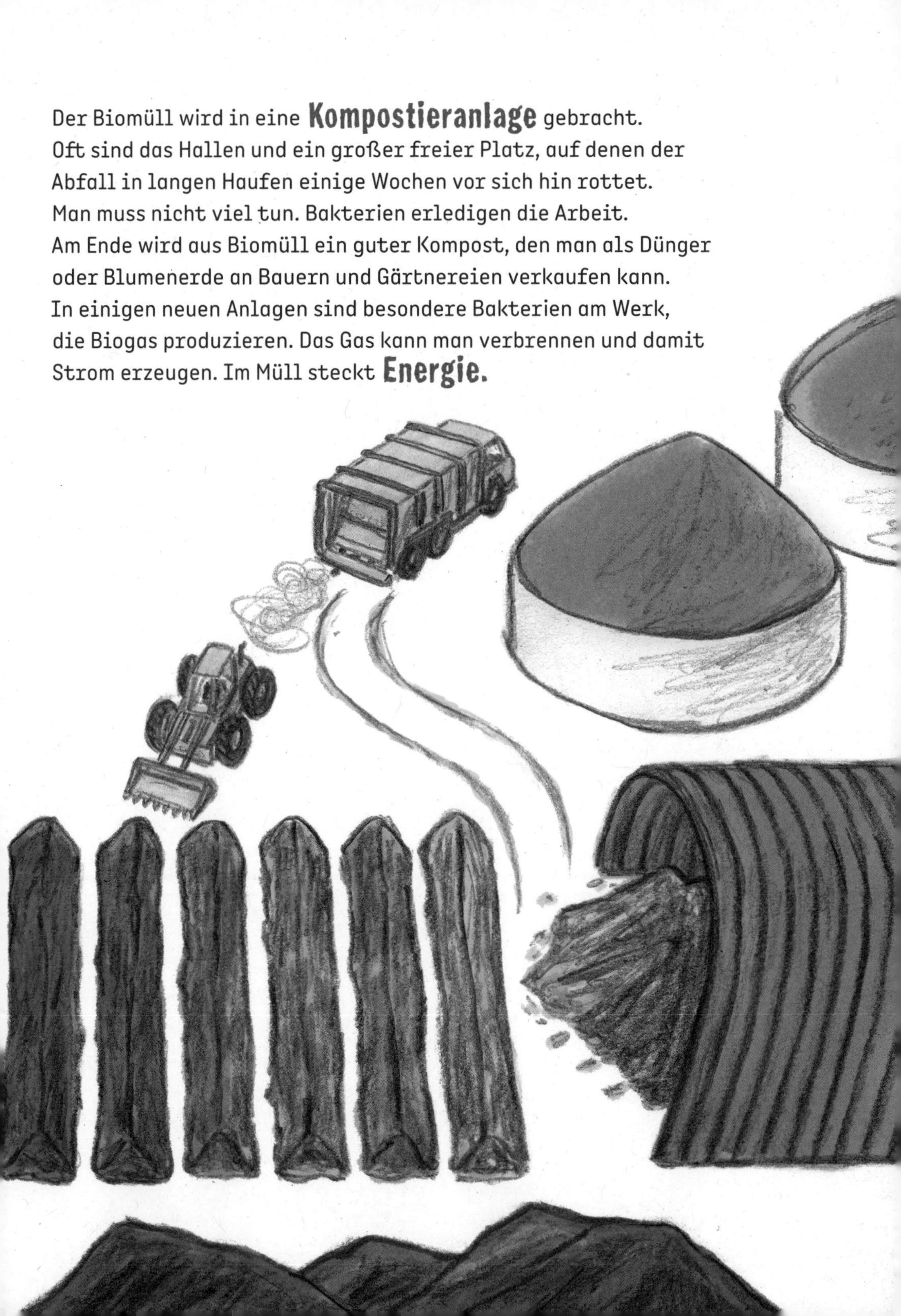

Wer einen Garten hat, kann seinen Biomüll
auch selbst kompostieren ...

... und beobachten, wie sich
hunderte Regenwürmer über
den leckeren Abfall hermachen ...

... bis er sich in frischen, dunklen **Humus**
verwandelt hat. Den Humus streut man auf die
Beete. Die Pflanzen nehmen die Nährstoffe
daraus auf und wachsen, bis sie irgendwann
absterben und selbst zu Humus werden,
der wieder Nährstoff für neue Pflanzen ist.
In der Natur wird alles wiederverwendet.

So einen Kreislauf versuchen wir der Natur nachzumachen. Das nennen wir **Recycling** und das bedeutet: zurück in den Kreis. Es ist praktisch, wenn man das gebrauchte Material zurückbekommt, denn dann benötigt man keinen neuen **Rohstoff.** Der alte Müll wird in neuen Dingen wiedergeboren.

Seit die Menschen Dinge aus **Metall** benutzen, haben sie ihre kaputten Sachen wieder eingeschmolzen. Früher zum Beispiel zerbrochene Schwerter und Hufeisen.

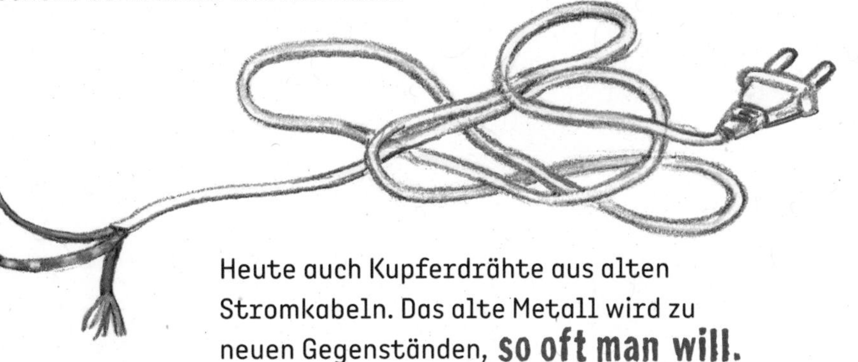

Heute auch Kupferdrähte aus alten Stromkabeln. Das alte Metall wird zu neuen Gegenständen, **so oft man will.**

Auch **Glas** lässt sich einschmelzen.
Aus alten Flaschen und Gläsern werden neue,
immer und immer wieder.

Aus gebrauchtem **Papier** kann man neues machen.

Das Papier wird in Wasser aufgeweicht und die Fasern wiederverwendet.

Papier kann man 5 bis 7 Mal in neues Papier verwandeln.
Auch die alte Druckfarbe lässt sich nicht mehr ganz ablösen. Das Recyclingpapier ist deshalb oft etwas dunkler, manchmal erkennt man kleine Pünktchen darin.
Die Papierfasern werden aber jedes Mal ein bisschen kürzer. Irgendwann hat man einen grauen Brei, aus dem kein Papier mehr werden kann.

Es gibt viele Sorten **Plastik:** hart, weich, farbig und manches mit giftigen Zusatzstoffen. In unseren Mülltonnen ist ein buntes Durcheinander, doch nur sorgfältig sortiertes altes Plastik kann man einschmelzen und verwenden wie frisches. Die Sorten lassen sich mit großen Sortiermaschinen trennen, aber das ist aufwendig und teuer. Man benutzt deshalb lieber frische **Rohstoffe,** wenn man neues Plastik herstellen will.
Aus Plastik-Mischmasch kann man robuste, dunkle Gegenstände wie Parkbänke machen. Geht die Bank kaputt, kann man sie nicht mehr recyceln. Aus altem Plastik wird deswegen oft nur **einmal** ein neuer Gegenstand.
Oft sogar **kein einziges Mal:** Weil Plastik gut brennt, verfeuert man es gerne und gewinnt so Strom und Wärme.

Die Kreisläufe der Natur sind perfekt. Unsere technischen Kreisläufe haben leider ein paar **Probleme:**

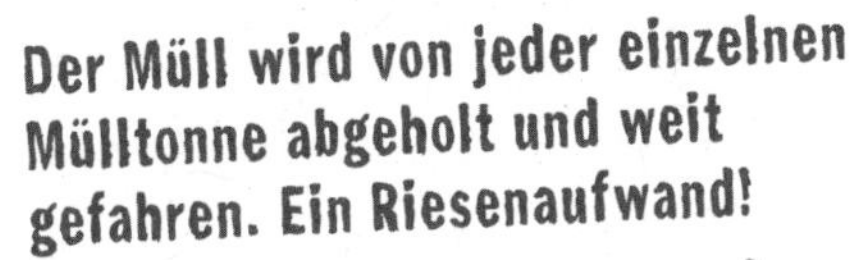

So bekommen wir leider doch nicht das ganze Material zurück und brauchen immer wieder neue Rohstoffe.

Wenn alles Wiederverwertbare aus dem Müll heraussortiert ist, bleibt der **Restmüll.** Diesen Müll kann man zu einer **Mülldeponie** bringen.

Früher war das einfach ein großer Haufen in der Landschaft. Dann entdeckte man, dass Regenwasser durch den Müllberg sickert und Giftstoffe auswäscht, die dann in unser Grundwasser gelangen. Wenn sich der Müll im Haufen langsam zersetzt, entsteht Methangas, das explodieren kann und sehr schlecht für unser Klima ist.
Solche Müllkippen wurden inzwischen geschlossen.

Moderne Deponien sind unten mit Folie abgedichtet. Darauf wird Schicht für Schicht Müll abgelagert. Rohre leiten das giftige Sickerwasser ab. Das Gas wird aufgefangen und die Energie genutzt. Später werden die Deponien mit Folie und Erde abgedeckt – und manchmal wird daraus ein Park. Der alte Müll im Inneren wird aber noch lange erhalten bleiben. Forscher der Zukunft werden dort Reste finden und vielleicht in ihren Museen ausstellen. Die Folie

Damit nicht überall Müllberge in der Landschaft herumstehen, kommt der Restmüll jetzt meistens in eine **Müllverbrennungsanlage.** Mit der Energie erzeugt man Strom oder beheizt Gewächshäuser und Wohnungen. Aber der Müll ist leider noch immer nicht ganz weg.

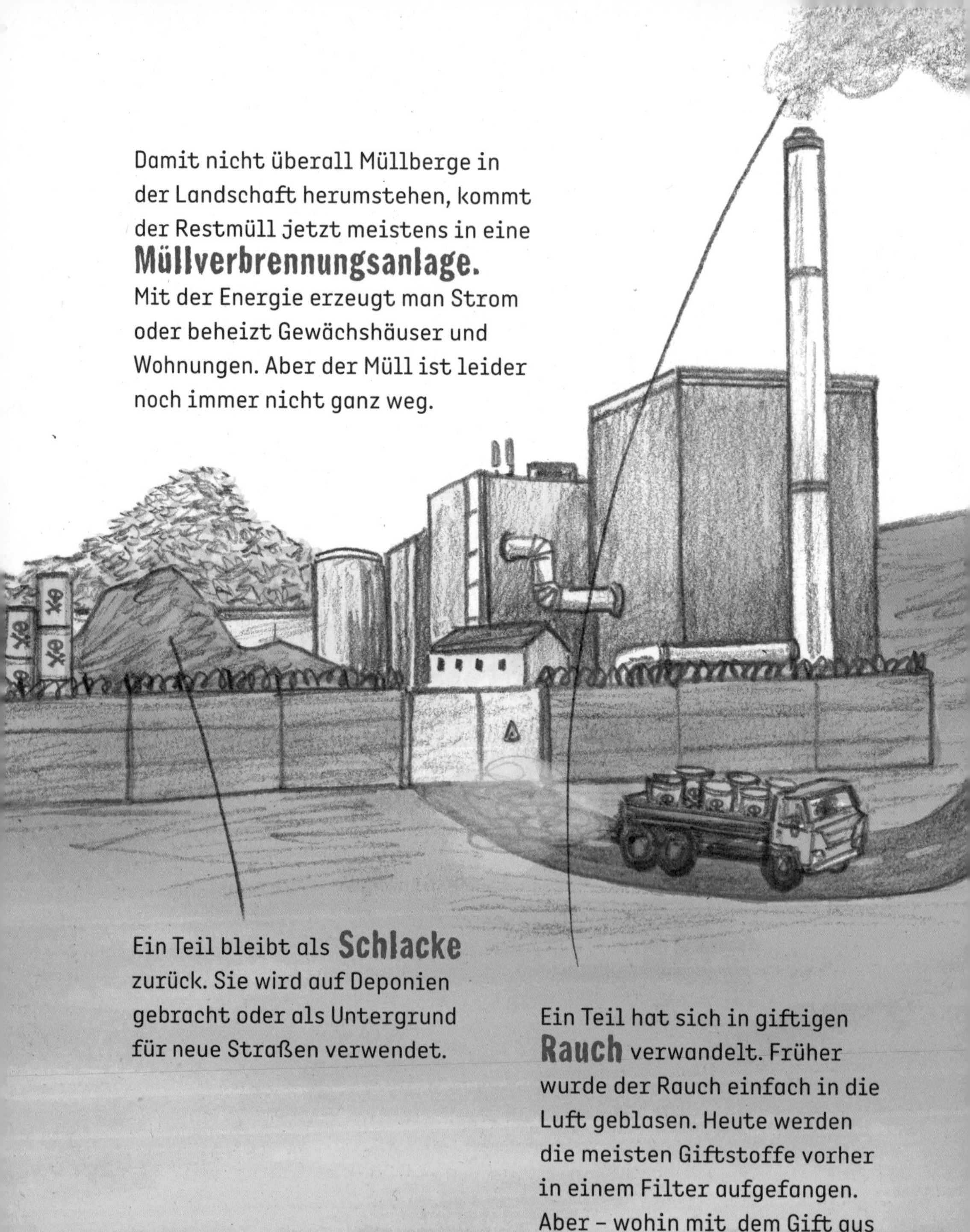

Ein Teil bleibt als **Schlacke** zurück. Sie wird auf Deponien gebracht oder als Untergrund für neue Straßen verwendet.

Ein Teil hat sich in giftigen **Rauch** verwandelt. Früher wurde der Rauch einfach in die Luft geblasen. Heute werden die meisten Giftstoffe vorher in einem Filter aufgefangen. Aber – wohin mit dem Gift aus dem Filter?

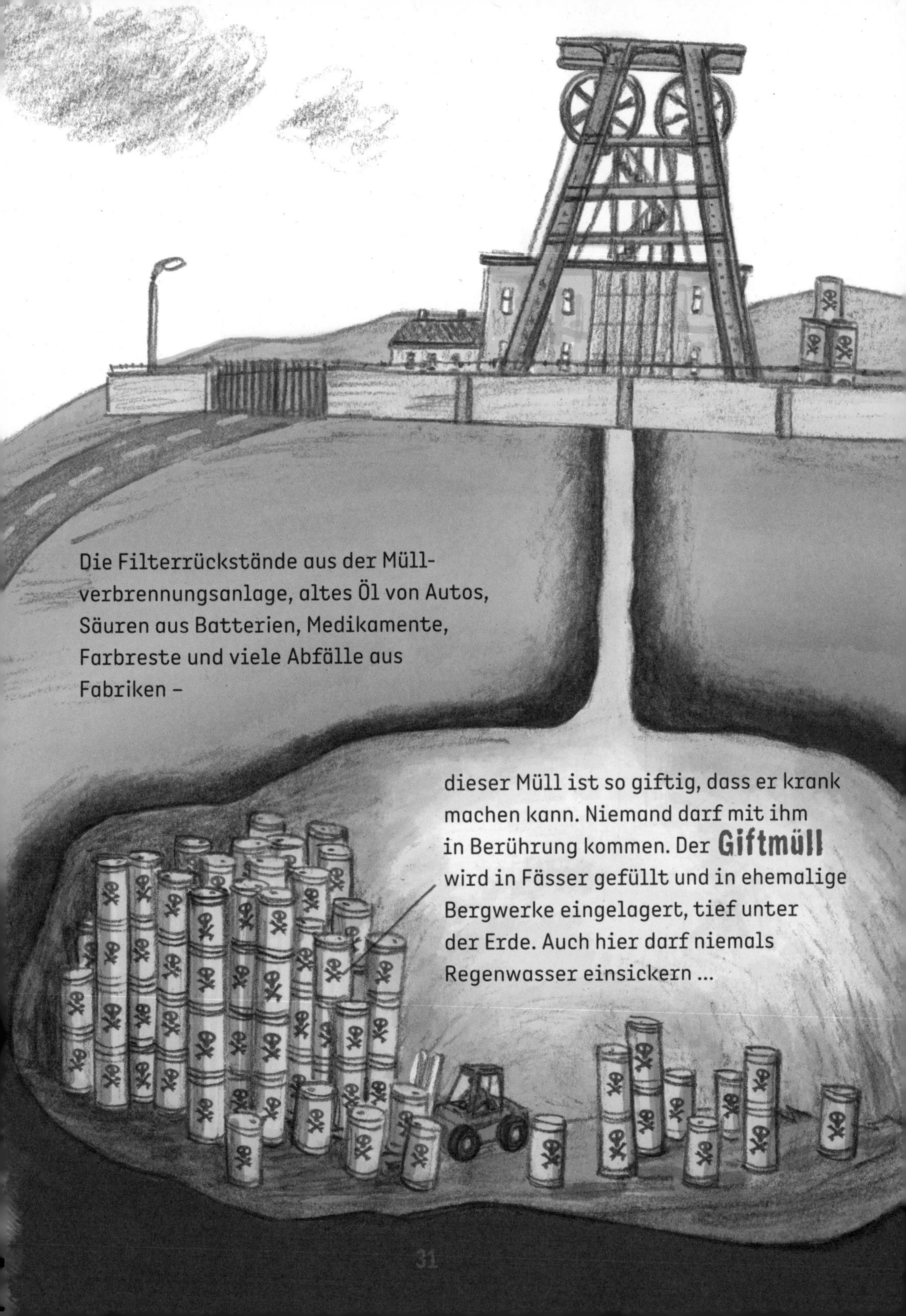

Die Filterrückstände aus der Müllverbrennungsanlage, altes Öl von Autos, Säuren aus Batterien, Medikamente, Farbreste und viele Abfälle aus Fabriken –

dieser Müll ist so giftig, dass er krank machen kann. Niemand darf mit ihm in Berührung kommen. Der **Giftmüll** wird in Fässer gefüllt und in ehemalige Bergwerke eingelagert, tief unter der Erde. Auch hier darf niemals Regenwasser einsickern …

Noch gefährlicher ist der **Atommüll,** der übrig bleibt, wenn Atomkraftwerke Strom erzeugen. Kommt man solchem Müll zu nahe, wird man sterbenskrank und kann später sogar kranke Kinder bekommen. Wohin mit diesem Müll? Natürlich will niemand so etwas in seiner Nähe haben.

Ist ein Ort gefunden, muss der Atommüll für alle Zeit fest verschlossen unter der Erde bleiben, denn er ist für viele tausend Jahre gefährlich. Alle Menschen, die in der Zukunft leben, müssen davor gewarnt werden, denn die tödlichen Strahlen sind unsichtbar. Aber wie sollen wir das den Zukunftsmenschen mitteilen?

Wie Lebewesen haben auch Dinge eine bestimmte **Lebenszeit.** In jedem Ding steckt eine lange Geschichte: Erst hat sich jemand den Gegenstand ausgedacht.

Dann wurden Rohstoffe gewonnen: Bäume wurden gefällt, in einem Bergwerk Erz gefördert oder auf einer Bohrinsel Erdöl.

Die Rohstoffe wurden zu einer Fabrik gebracht, der Gegenstand wurde hergestellt ...

... zum Kauf angeboten ...

... gekauft und nach Hause getragen.

Aber auch der Müll bleibt nicht für immer. Alles auf der Welt zerfällt. Eisen rostet, Stein zerbröselt, selbst Gebirge zerrieseln zu Sand. Und doch geht nichts verloren im großen Kreislauf der Natur. Alles wird zu etwas Neuem, es dauert nur ungeheuer lange. Für uns Menschen eine **Ewigkeit.**

Manche Dinge werden nur ganz kurz benutzt und führen dann als Müll noch ein langes Leben.

Eines Tages jedoch hat er ausgedient. Die allermeisten Dinge behalten wir ja nicht für immer und nur ganz wenige kommen ins Museum. Das meiste werfen wir irgendwann weg.

Der Gegenstand wird eine Weile besessen und benutzt.

Früher hat man alles **repariert** und lange am Leben erhalten. Das war viel billiger, als neu zu kaufen. Ständig Neues konnte man sich gar nicht leisten.
Das wäre ja auch verrückt.

Wer wenig hat, wirft wenig weg. Not macht erfinderisch. In alten Büchern findet man Tipps, über die man nur staunen kann:

Alten Leuten, die schlechte Zeiten erlebt haben, fällt es immer noch schwer, etwas wegzuwerfen. Sie heben alles auf. Das wirkt manchmal sonderbar.
Das kann man alles noch gebrauchen!

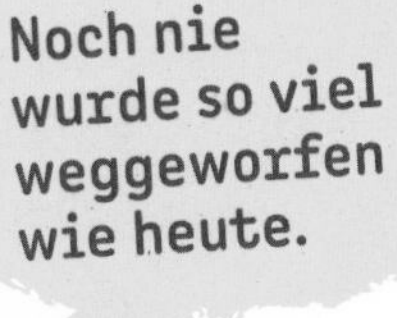

Früher

lebten die meisten Menschen auf dem Land und waren arm. Ihr Essen bauten sie selbst an und alles, was sie besaßen, war handgemacht.

Verpackungen gab es nicht, Essensreste fraßen die Tiere, Kaputtes wurde repariert. Asche und den Inhalt vom Plumpsklo nutzte man als Dünger.

Übrig blieben ein paar Lederreste, Knochen und Scherben, die man auf den Misthaufen oder in eine Gartenecke warf.

Stadtbewohner kauften alles lose auf dem Markt ein. Abfälle wurden in die Lücken zwischen den Häusern gestopft, in den Fluss geworfen und aus dem Fenster gekippt.

In den Gassen bildete sich eine Schicht aus stinkendem Müllmatsch. Nach ein paar Jahren legte man neue Trittsteine darüber. Allmählich wuchs der Boden in die Höhe.

Im Müll fühlten sich Ratten und Krankheitserreger wohl. So trug er oft zum Ausbruch von Krankheiten bei, an denen viele Leute starben.

Als Fabriken entstanden, zogen mehr und mehr Menschen in die Städte, um zu arbeiten. Die Städte wuchsen. Eisenbahnen wurden gebaut.

Die Fabriken stellten neue Dinge her. Sie wurden in Blechdosen, Holzkisten und Papier verpackt, um dann weit zu reisen.

Man kaufte in kleinen Läden ein. Vieles lose, aber zunehmend verpackt. Auf den Straßen und in den Höfen häufte sich jetzt der Müll: Pferdemist, Asche von den vielen Kohleöfen, Küchenabfälle und Verpackungen.

Aus Angst vor Krankheiten organisierten alle großen Städte eine Müllabfuhr. Der Müll wurde aus der Stadt geschafft und am Stadtrand abgekippt. Für das Abwasser wurden Rohre und Kanäle gebaut.

Ein neues Material wurde erfunden: Plastik! Es ist billig und beliebig formbar. Immer mehr Dinge wurden daraus hergestellt.

Dann erlebte die Welt zwei schreckliche Kriege. Überall herrschte Hunger und Mangel. An allem wurde gespart und wenig weggeworfen.

Nach dem Krieg ging es den Leuten besser. Sie kauften wieder gern und immer mehr. Für die vielen Produkte entstanden Supermärkte.
Im Supermark ist alles verpackt. Das ist sauber und praktisch – und macht jede Menge Müll.
Unseren Müll haben wir gut organisiert. Die Tonnen werden regelmäßig abgeholt. Es ist leicht zu vergessen, wie viel Müll jeder von uns macht.
Die Leute werfen immer mehr weg.

Zu dem vielen Müll aus den Tonnen kommt auch noch haufenweise **Bauschutt.** Der entsteht, wenn alte Häuser abgerissen oder umgebaut werden. Weil Häuser groß sind, ist das natürlich eine ganze Menge. In einigen deutschen Städten gibt es Parks auf kleinen Bergen. Die Berge sind die Häusertrümmer aus dem Krieg.

Den allermeisten Müll sehen wir gar nicht. Es ist der **Industriemüll,** der schon in den Bergwerken und Fabriken anfällt. Rohstoffe werden aus der Erde gegraben und mit Chemikalien aus dem Stein gelöst. Es bleiben Stein, Erde und giftiger Schlamm zurück. Wenn man den Rohstoff in brauchbares Material umwandelt, entstehen unerwünschte Nebenprodukte. Und wird aus dem Material ein Gegenstand, bleiben wieder Reste übrig. Hinter jedem Ding, das wir wegschmeißen, steckt also in Wirklichkeit **noch viel mehr Müll.**

Es gibt kaum noch Orte ohne Müll.
Müll liegt tief unten auf dem
Meeresgrund …

... und auf dem Gipfel
des höchsten Berges.

Sogar im Weltall gibt es Müll. Reste kaputter Satelliten und ausgebrannter Raketen schwirren als **Weltraumschrott** um die Erde und gefährden künftige Weltraummissionen. Wenn sie zufällig mit dem Müll zusammenstießen, gäbe es einen Unfall.

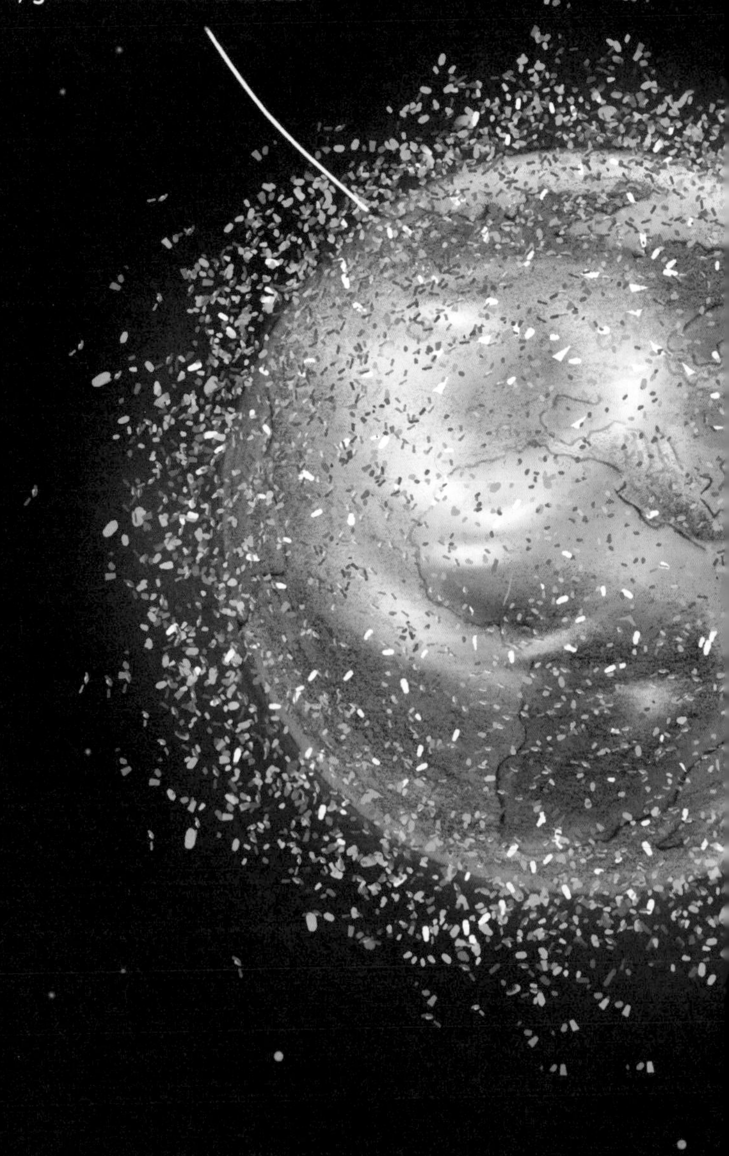

Selbst auf dem **Mond** liegt Müll, den Astronauten bei der Mondlandung zurückgelassen haben.

Auf dem **Mars** waren noch keine Menschen, aber einige Tonnen Müll liegen trotzdem schon da. Kaputte Forschungsroboter, zum Beispiel.

Aus dem Weltall kann man auch die riesigen Mülldeponien auf der Erde erkennen, die wir schon angehäuft haben. Müllberge gehören zu den größten Gebilden, die wir Menschen jemals geschaffen haben. **Warum machen wir so unglaublich viel Müll?**

Vielen von uns geht es heute gut. Wir können es uns leisten, viel zu kaufen und viel wegzuschmeißen. In die Läden kommt nur Obst und Gemüse, das schön aussieht. Was zu klein ist oder eine Delle hat, wird gleich vom Bauern weggeworfen. Die Händler sortieren dann ständig aus, was nicht mehr ganz frisch ist.

Hinter den Läden stehen große Müllcontainer voller Lebensmittel, die man eigentlich noch essen könnte. Auch Restaurants schmeißen viel weg, etwa das, was vom Buffet nicht aufgegessen wird.

Weil das viele Leute stört, werden solche Lebensmittel auch eingesammelt und an arme Leute verteilt. *3)

Wenn viel gekauft wird, verdienen die Händler und Hersteller viel Geld. Durch **Tricks** bringen sie uns dazu, mehr zu kaufen, als wir eigentlich wollten. Zum Beispiel braucht man meistens nur eine Knoblauchknolle, aber drei sind zusammen in einem Netz verpackt.

Auch Sonderangebote verleiten dazu, mehr zu kaufen als nötig. Vieles vergammelt dann zuhause.

Manches ist noch nicht vergammelt, aber verdächtig, weil ein Datum draufgedruckt ist. Wenn es abgelaufen ist, schmeißt man das Essen vorsichtshalber weg.

Vieles ist doppelt und dreifach **verpackt.** Oder die Packung ist riesig. Wenn man zuhause auspackt, kommt etwas ganz Kleines heraus.

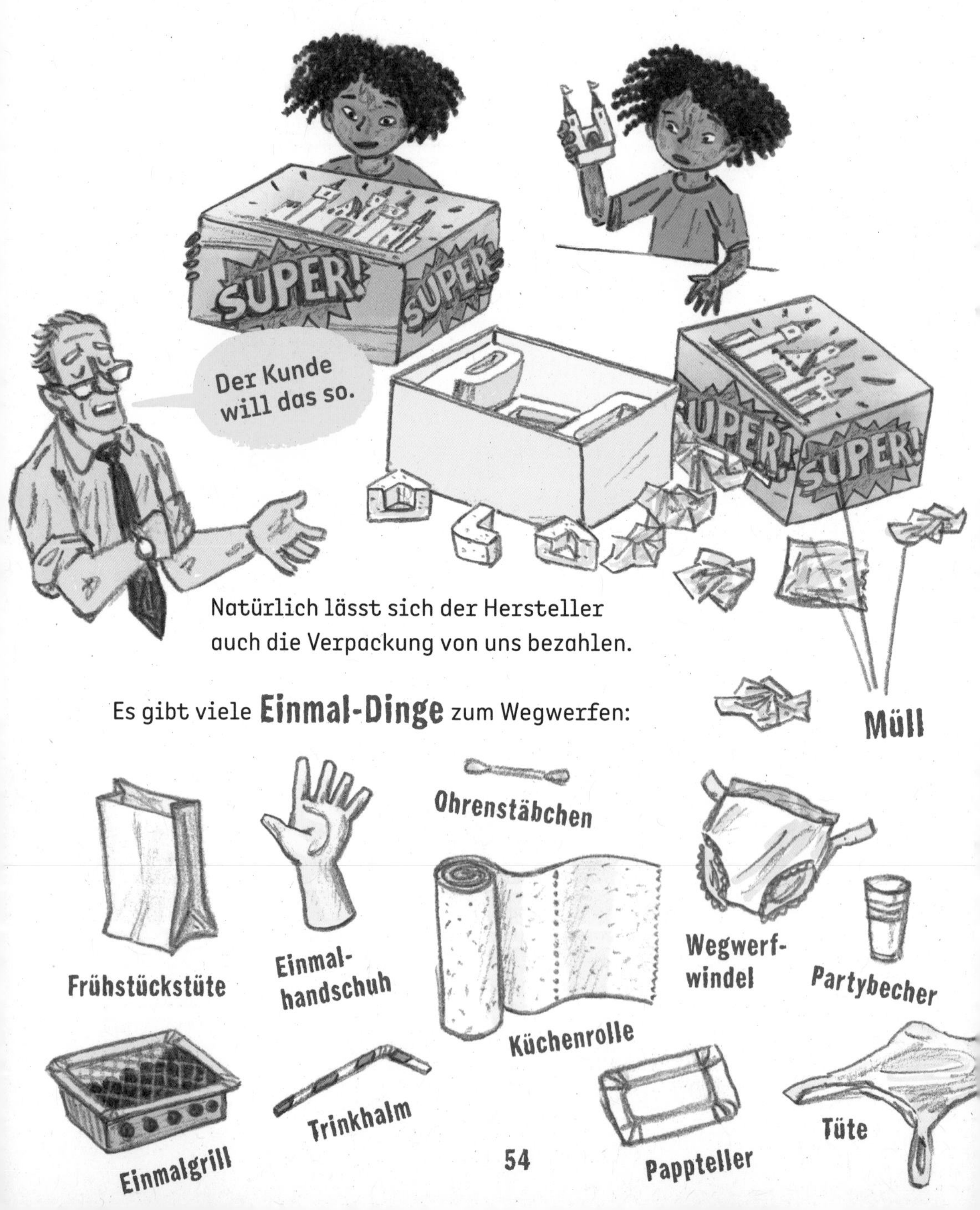

Natürlich lässt sich der Hersteller auch die Verpackung von uns bezahlen.

Es gibt viele **Einmal-Dinge** zum Wegwerfen:

Manche Dinge sind absichtlich so gemacht, dass man sie nicht lange benutzen kann. Ein Teil geht **kaputt,** weil es aus minderwertigem Material besteht. Das passende Ersatzteil gibt es nicht mehr zu kaufen, weil immer neue, andere Modelle produziert werden. Oder die Dinge sind so gebaut, dass man sie nicht öffnen und reparieren kann. Heute ist es oft billiger und einfacher, etwas Neues zu kaufen, als es in Reparatur zu geben.

Weil vieles nicht lange hält,
kauft man oft **etwas Neues.**

Verrückt!

Der Kunde kauft aber gerne.

Je mehr Neues gekauft wird, desto mehr verdienen die Hersteller und Händler.

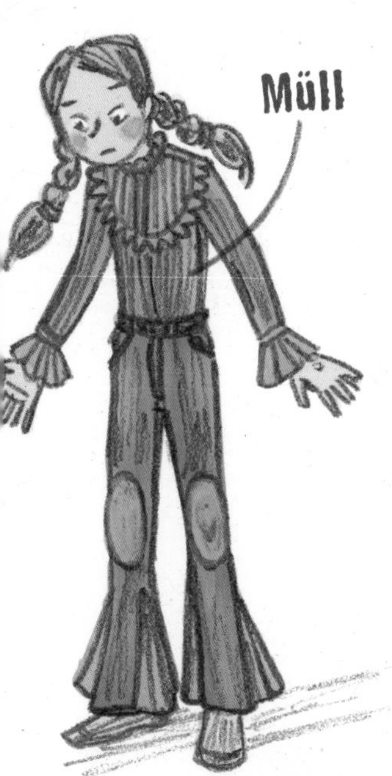

Immer wieder gibt es neue **Moden** und wer fühlt sich schon in unmoderner Kleidung wohl? Man sortiert aus, was eigentlich noch benutzbar wäre. Moden gibt es inzwischen für immer mehr Gegenstände. Auch **technische Neuerungen** sind ein Grund, Veraltetes wegzuschmeißen.

Werbung weckt immer neue Wünsche. Man möchte Dinge haben, von denen man vorher gar keine Ahnung hatte. Es ist toll, etwas Neues zu besitzen. Aber schon bald ist wieder ein neuer Wunsch entstanden.

Zuhause sammeln sich die Dinge an. Es werden immer mehr! Unsere Zeit reicht gar nicht, all das auch regelmäßig zu benutzen. Vieles lagert ungenutzt in Schränken und Regalen vor sich hin.

Mit so viel Zeug ist Aufräumen schwierig und dauert lange. Manche Familien sind echte Ordnungsmeister ...

... bei anderen gibt es ständig Streit ums Aufräumen. Und einigen wächst alles über den Kopf. Die meisten wollen deshalb gerne wieder etwas loswerden.
Jetzt wird ausgemistet!
Müll

Nachts,
im Schutz der Dunkelheit, machen sich manche auf, um aus den Tonnen hinter den Läden das weggeworfene Essen zu holen. Es ist ja gut verpackt.
Wer containert, spart eine Menge Geld, braucht weniger zu arbeiten und hat mehr Freizeit.
*4)
Kriminell!

Und noch ganz andere **Mülldiebe** sind nachts auf Nahrungssuche. Der Müll wird deshalb gut verschlossen und gesichert.

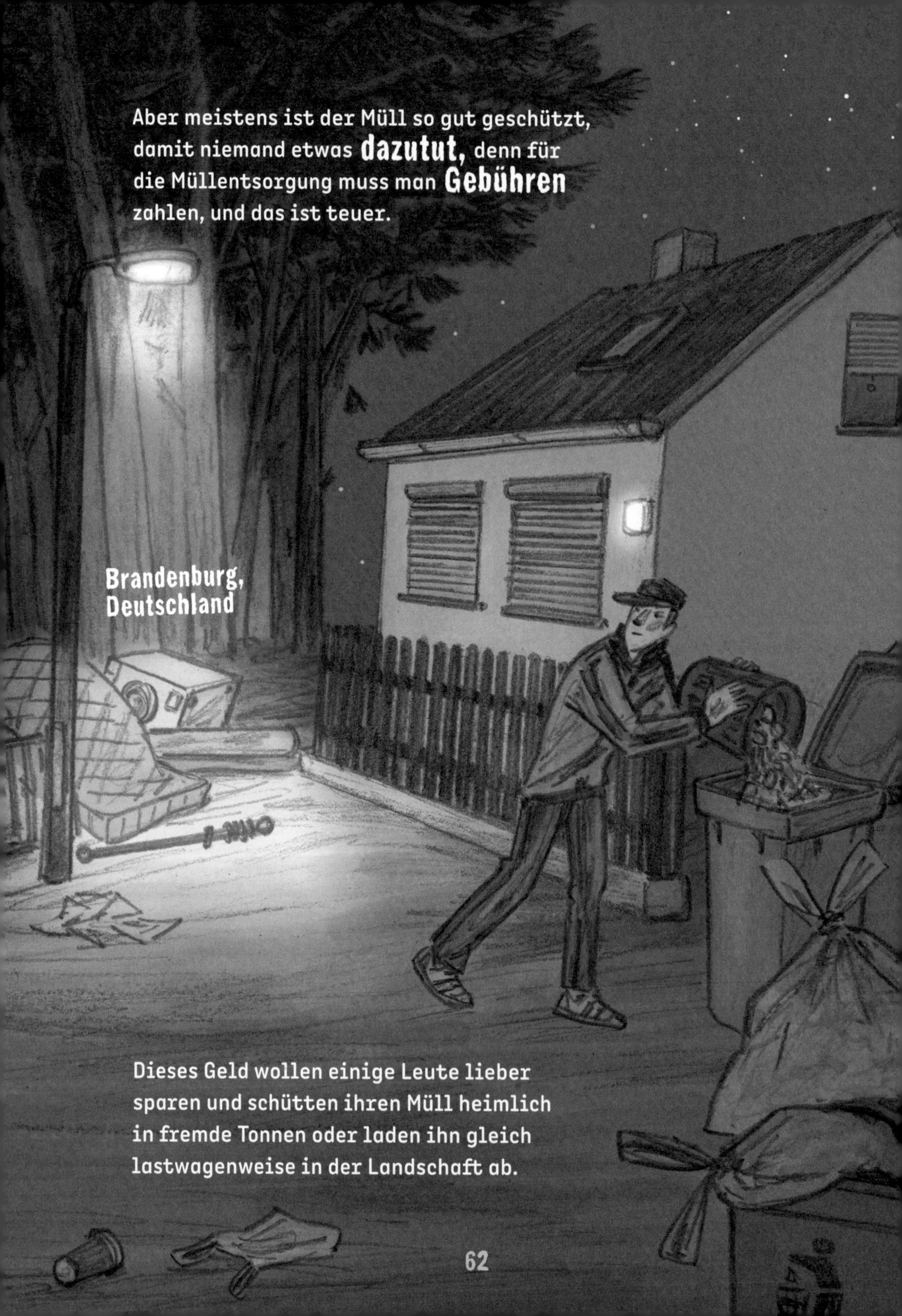
Aber meistens ist der Müll so gut geschützt, damit niemand etwas **dazututut,** denn für die Müllentsorgung muss man **Gebühren** zahlen, und das ist teuer.
Brandenburg, Deutschland
Dieses Geld wollen einige Leute lieber sparen und schütten ihren Müll heimlich in fremde Tonnen oder laden ihn gleich lastwagenweise in der Landschaft ab.

Wer anderer Leute Müll verschwinden lässt, kann damit viel Geld verdienen. Und wer den Müll los ist, spart die noch teureren Müllgebühren. Beide haben einen Vorteil. Andere haben einen Nachteil: Wo heimlich giftiger Müll lagert, wird die Umgebung verseucht und ahnungslose Menschen werden plötzlich krank.
Kalabrien, Italien

Als Müllabladeplatz werden auch gerne **ärmere Länder** benutzt. Dort sind die Gesetze weniger streng, die Arbeitskräfte billig und die Leute beschweren sich nicht. Unser Müll liegt dort dann einfach in der Landschaft.
Chittagong, Bangladesh
Alang, Indien
Per Schiff verfrachten wir unseren Elektroschrott dorthin. Auf den Müllkippen arbeiten vor allem Kinder .
Accra, Ghana

Um an Einzelteile zu kommen, schrauben sie alte Geräte auseinander und zertrümmern die Bildschirme. Sie machen Feuer und verbrennen die Kabel. Übrig bleibt das Kupfer aus den Leitungen.

Man kann sich dabei leicht verletzten und den giftigen Rauch atmen alle in der Nähe ein.

Mokattam,
Ägypten
Payatas,
Philippinen
Bantar Gebang,
Indonesien

In vielen Teilen der Welt gibt es **keine Müllabfuhr.** Millionen Menschen wohnen in Hütten, die aus Müll gebaut sind. Sie leben vom Abfall der Reicheren und sammeln auf, was sie verwenden oder verkaufen können. Vieles bleibt einfach in der Landschaft liegen oder wird vom Regen in die Flüsse gespült. Der Müll aus allen Flüssen der Welt gelangt schließlich ins Meer.

*6)

Im Jahr 1997 segelte jemand durch eine abgelegene Weltgegend und entdeckte eine neue Insel. Eine Insel? Eher eine dicke Nudelsuppe aus Plastikmüll, riesengroß! Der Müll wird durch Strömungen von beiden Seiten des Ozeans zusammengetragen. In der Mitte gibt es einen Wirbel, und darin dümpelt Plastik aus aller Welt. Inzwischen wurden fünf solcher **Müllinseln** entdeckt.

Auch unter Wasser treibt viel Müll. Tiere verfangen sich in Netzen und Schnüren, die von Fischern verloren wurden, und sterben.

zwischen Kalifornien und Hawaii

Im Meer gibt es auch ganz kleinen Müll: **Mikroplastik.** Winzige Teilchen, die man mit bloßem Auge gar nicht sieht. Sie werden in unsere Seifen gemischt, damit es sich cremig anfühlt und gut schubbert. Aus unserer Kleidung lösen sich beim Waschen Plastikfasern. Und auch von den vielen Autoreifen wird ständig etwas abgerieben und mit dem Regen in die Gullys geschwemmt. Die Plastikteilchen wandern durch die Kanalisation ins Klärwerk, und weil sie so klein sind, durch alle Siebe hindurch in die Flüsse und schließlich ins Meer.

Größerer Müll wird von den Wellen langsam in immer kleineres Konfetti zerbröselt. Plastik verrottet nicht, das bedeutet, es kann von keinem Lebewesen der Welt verdaut und in Humus verwandelt werden. **Plastik ist unsterblich!** Es bleibt immer Plastik. Weil es auch giftige Zusatzstoffe enthält, sollte man Plastik nicht essen.

Es wird aber gegessen! Die Meerestiere können Plastik nicht von ihrer Nahrung unterscheiden und fressen es einfach mit. Unzählige winzige Tiere schweben im Meer und nehmen Mikroplastik auf. Sie sind Nahrung für kleine Krebse, Muscheln, Quallen und Fische, die dann wiederum von größeren Fischen und Robben gefressen werden.

Auch wir Menschen essen gerne Fisch. Unser Müll wandert durch viele Körper, richtet dort Schäden an und kommt wieder zurück zu uns auf den Teller.

Plastik ist jetzt überall! Es steckt in Meerestieren, Strandsand und Regentropfen und sogar in unseren Körpern. Was das für Folgen hat, wird gerade erst erforscht.

Die Welt ist voller Dinge, die wir weggeworfen haben, und überall gibt es Probleme, die mit unserem Müll zusammenhängen.

Kann man dagegen etwas tun?

Ja!

Denn unseren Müll kaufen wir uns ja selbst. Er besteht aus den vielen Dingen, die wir täglich benutzen und wegwerfen.

Vom Imbiss unterwegs, zum Beispiel, bleibt jede Menge Müll übrig. Du kannst dir deine Mahlzeit in **Brotdose und Trinkflasche** mitnehmen oder dort essen, wo man **richtiges Geschirr und Besteck** bekommt, das immer wieder abgewaschen wird.

Wegwerfdinge von Essen unterwegs findet man überall auf der Welt in der Landschaft und im Meer.

Du kannst gleich beim Kaufen **auf die Verpackung achten.** Was unnötig verpackt ist – einfach nicht kaufen. Obst und Gemüse da einkaufen, wo du es lose bekommst und genau so viel nehmen kannst, wie du brauchst.

Die überflüssigsten Verpackungen erkennst du daran, dass du sie gleich **im Laden abmachen** könntest. Du kannst sie auch dort lassen. Der Müll ist natürlich trotzdem erst mal da, aber jetzt muss der Laden die teuren Müllgebühren zahlen und wird sich hoffentlich künftig dafür einsetzen, dass weniger verpackt wird.

Du kannst das **Wasser aus dem Hahn trinken.** In Deutschland wird es streng kontrolliert und ist nicht gesundheitsschädlich. Das Hahnwasser ist viel billiger als die Wasserflaschen aus dem Laden und macht keinen Müll.

Einmal-Dinge machen viel Müll. Dinge zum **Nachfüllen** weniger. Milch und Saft gibt es in vielen Supermärkten in **Mehrwegflaschen,** Joghurt in Gläsern, die man in den Laden zurückbringt. Es wird dann immer wieder Milch, Saft und Joghurt in diese Flaschen und Gläser gefüllt. In einigen Städten gibt es Läden, wo du alles **unverpackt** kaufen kannst. Die Gefäße bringst du selbst mit.

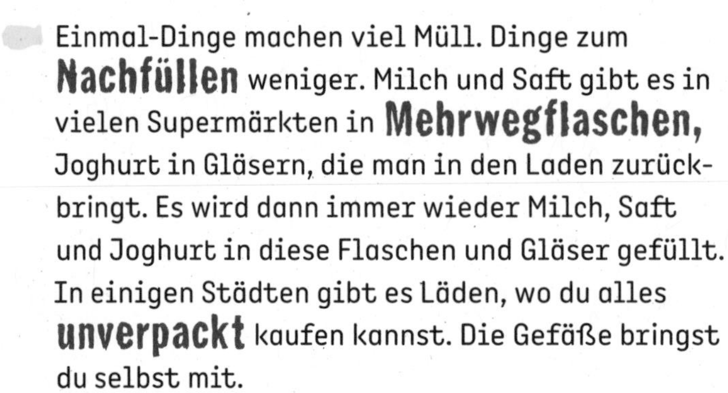

Es wäre einfacher, wenn Dinge, die unnötig viel Müll machen, sehr teuer oder verboten wären und gar nicht erst im Laden stünden. Aber so ein Gesetz gibt es noch nicht. Bis jetzt muss man selbst entscheiden.

Vieles kauft man immer wieder. Es reicht bei diesen Dingen also, wenn man nur einmal nachdenkt.

Auf vielen Produkten findest du **Zeichen,** die dir bei der Kaufentscheidung helfen. Falls etwas gesundheitsschädlich oder schlecht für die Umwelt ist, steht das aber nicht vorne groß auf der Packung, sondern hinten oder versteckt im Kleingedruckten. Manchmal ist etwas Detektivarbeit gefragt. Schau mal nach!

Der **Saubermann**
soll dich daran erinnern, den Müll in den Mülleimer und nicht einfach in die Gegend zu werfen.

Das **Mehrwegzeichen**
bedeutet, dass genau dieses Gefäß immer wieder befüllt wird.

Das **Pfandzeichen**
bedeutet, dass man Geld zurückbekommt, wenn man das Gefäß wieder in den Laden zurückbringt. Aber nicht, dass es auch wieder benutzt wird.

Das **Kreislaufzeichen**
bedeutet nur, dass man das Material recyceln **könnte,** jedoch nicht, dass es auch tatsächlich wiederverwendet wird. Auch Verbrennen gilt als Recycling, wenn die freigesetzte Energie genutzt wird.

Der **grüne Punkt**
bedeutet, dass man die Verpackung recyceln **könnte** und der Hersteller schon etwas für das Recycling bezahlt hat. Natürlich lässt er sich das dann von uns bezahlen.

Papiere, die den **Blauen Engel** tragen, werden aus Altpapier gemacht. Dafür mussten keine neuen Bäume gefällt werden. Der Blaue Engel kann auch bedeuten, dass ein Produkt weniger giftig oder besonders sparsam ist oder umweltfreundlich hergestellt wurde.

Das **FSC-Zeichen**
bedeutet, dass für dieses Produkt zwar Bäume gefällt wurden, aber der Wald erhalten bleibt. Also nicht einfach ein Urwald abgeholzt wurde.

Man sollte keine giftigen und umweltschädlichen Produkte kaufen. Die sind auch nicht gut für unsere Gesundheit. Giftige Produkte erkennst du zum Teil an **Warnzeichen.** Meistens gibt es einen umweltfreundlicheren Ersatz.

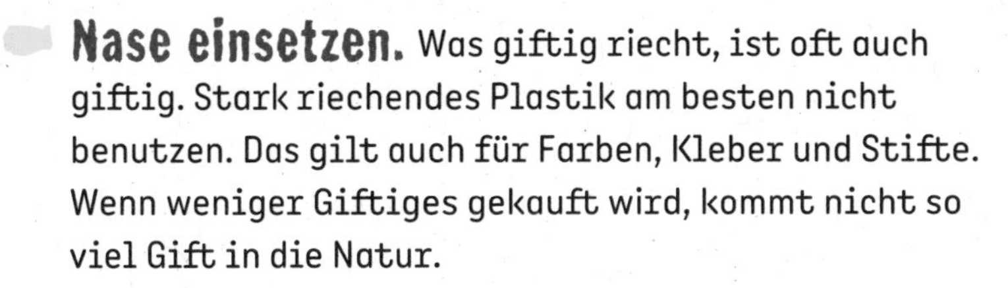

Nase einsetzen. Was giftig riecht, ist oft auch giftig. Stark riechendes Plastik am besten nicht benutzen. Das gilt auch für Farben, Kleber und Stifte. Wenn weniger Giftiges gekauft wird, kommt nicht so viel Gift in die Natur.

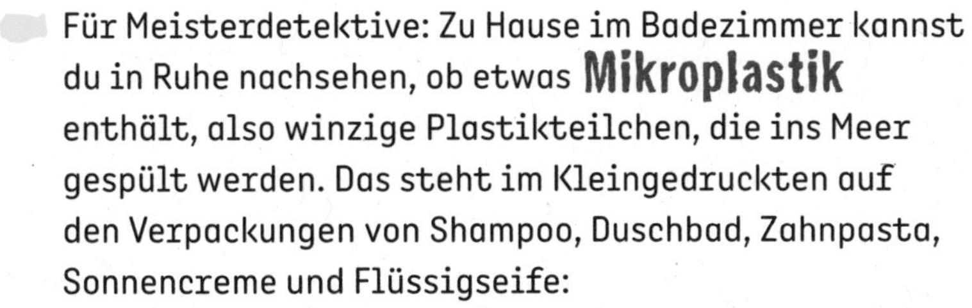

Für Meisterdetektive: Zu Hause im Badezimmer kannst du in Ruhe nachsehen, ob etwas **Mikroplastik** enthält, also winzige Plastikteilchen, die ins Meer gespült werden. Das steht im Kleingedruckten auf den Verpackungen von Shampoo, Duschbad, Zahnpasta, Sonnencreme und Flüssigseife:

Polyethylen (PE), Polypropylen (PP), Polyacrylate (PA), Polyethylenterephtalat (PET), Polyurethan (PUR), Polystyrene (PS), Acrylates Copolymer (AC), Acrylates Crosspolymer (ACS), Ethylen-Vinylacetat-Copolymer (EVA), Polymethylmethacrylat (PMMA), Polyquaternium-7 (P-7), Nylon-12, Nylon-6

= Plastik. Dafür gibt es leider kein Zeichen.

Noch besser ist es für die Umwelt, wenn **möglichst wenig Neues** hergestellt werden muss. Damit nichts Überflüssiges produziert wird, ist es gut, wenn du dir genau überlegst, was du brauchst. Du kannst:

- Einen **Einkaufszettel** schreiben.
Nicht hungrig einkaufen gehen. Wer schön satt ist, kauft nur Essen, das er wirklich braucht.

- **Mindestens haltbar bis** bedeutet: So lange bürgt der Hersteller für den vollen Geschmack. Aber auch lange danach können Lebensmittel noch gut sein. Bevor du Essen wegschmeißt, genau ansehen, schnuppern, und wenn es nicht schlecht riecht – **kosten.** Vieles ist noch gar nicht verdorben.

- **Geschenke ablehnen,** die du nicht brauchst oder schon hast. Damit du nicht unhöflich erscheinst, kannst du ja freundlich sagen, dass du die Umwelt schonen möchtest.

- An die Verkaufstricks denken und **Werbung aus dem Weg gehen,** die immer neue Wünsche weckt. Das ist schwierig, denn Werbung ist überall. Am Briefkasten hilft aber ein Aufkleber (dann hast du auch weniger Papiermüll).

Statt dir etwas zu wünschen oder zu kaufen, kannst du es dir vielleicht bei einem Freund **leihen.** Bücher und Spiele gibt es in der Bibliothek. Oder du tauschst mit einem Freund. So hast du immer mal was Neues.

Kaputte Sachen **reparieren** lassen. Für viele Dinge findet sich ein Fachmann, der sie retten kann. Wer Glück hat, hat sogar einen in der Familie.

Sparsam sein. Papier kannst du auf beiden Seiten beschreiben, dann brauchst du nur halb so viel neues. Auf den Rückseiten von alten Ausdrucken malen.

Mülltüten sind übrigens auch Müll. Der Eimer genügt eigentlich.

Damit du weißt, was du brauchst, musst du wissen, was du schon hast. Du kannst mal alles aus den Schränken und Regalen nehmen und nur zurückstellen, was du wirklich benutzt.

Damit alles andere nicht gleich zu Müll wird, kannst du es **verschenken.** Aber niemanden überhäufen. Oder du legst etwas in eine **Kiste** und stellst sie vors Haus.

Oder du machst einen **Flohmarktstand.** Dazu kannst du noch Kuchen und Getränke anbieten (mit richtigem Geschirr) und so ein bisschen Geld verdienen.

Du kannst deine aussortierten Dinge auch **spenden.** Soziale Einrichtungen sammeln für Bedürftige. Aber auch arme Leute wollen nicht zugemüllt werden. Erkundige dich, was gebraucht wird.

Es gibt sogar Sammelstellen für alte Schulranzen, Brillen, Korken und abgestempelte Briefmarken! Über vieles würde sich noch jemand freuen. Darüber freut man sich dann auch selbst.

Immer mehr Leute versuchen, **gar keinen Müll** zu machen. Sie kaufen alles in Pfandflaschen und verpackungsfrei, leihen viel und benutzen ihre Dinge so lange wie möglich. Was sie nicht mehr brauchen, geben sie weiter. Sie kompostieren ihren Biomüll und tauschen Rezepte aus, wie man Zahncreme, Haarshampoo und Waschmittel müllfrei selbst machen kann. Der Müll, den sie in einem Jahr produzieren, passt in ein kleines Einmachglas.

Manche Leute wollen nur **ganz wenig besitzen.**
Wer wenig kauft, macht wenig Müll. Die wenigen Dinge passen in eine kleine Wohnung, die weniger Geld kostet, sodass man weniger arbeiten muss. Man kann auch in einem ganz kleinen Haus leben. Wer in so einem **Tiny House** wohnt, ist schnell mit dem Aufräumen und Putzen fertig.

Über den vielen Müll ärgern sich Menschen überall auf der Welt. Sie machen sich Sorgen um die Natur und wollen etwas tun. **Wir alle gemeinsam** können etwas verändern – und es verändert sich auch schon was.

*8)

რა სიბინძურეა! ასე აღარ შეიძლება, მოდით ავალაგოთ ნაგავი!
Muszę coś z tym zrobić.
Ang daming basura diyan!
otégeons nsemble environnement!
Hajde da raskrčimo!
Atsikratykime atliekų naštos!
Minder afval maken!
Ορά να μαζέψουμε τα σκουπίδια!
¡Maldita basura!
Weg mit dem Müll!
太多垃圾啦!

Was
können wir noch tun?

Alles **lange benutzen,** bevor es zu Müll wird. Wenn wir statt etwas Neuem etwas **Gebrauchtes kaufen,** verlängern wir das nützliche Leben dieser Dinge.

Statt Einmal-Dingen und billigem Zeug lieber **langlebige Dinge** kaufen. Die sind zwar oft etwas teurer, aber letztlich geben wir weniger Geld aus, als wenn wir etwas Billiges gekauft hätten, das schnell ersetzt werden muss.

Wir können uns beim Händler oder Hersteller **beschweren,** wenn etwas schnell kaputt geht. Der Händler bestellt solche Dinge dann hoffentlich nicht mehr nach, sodass weniger Murks produziert wird.

Was seinen Zweck nicht mehr erfüllt, können wir mit Fantasie vielleicht **als etwas anderes verwenden.** Auch das verlängert das Leben der Dinge und ist besser, als das Material aufwendig zu recyceln und etwas Neues zu kaufen. Dazu gibt es weltweit schon viele tolle Ideen:

Es gibt sogar Häuser aus Müll. Sie heißen **Earthships,** Erdschiffe, und sind keine Hütten, sondern richtige Häuser, in denen es sich gut leben lässt. So ein Haus kann überall und in wenigen Wochen gebaut werden – aus alten Reifen, Flaschen und Dosen.

Müll muss nicht Müll sein.
Was Müll ist, **entscheidet jeder selbst!**

Erst das, was wirklich zu nichts mehr zu gebrauchen ist, sollten wir in die Recyclingtonne tun, damit das Material zurückgewonnen werden kann, so gut es geht.

Kannst du mal den Müll runterbringen?

Und nur noch einmal im Jahr den Müll runterbringen!

*)

***1) Marcel Duchamp** reichte 1917 ein Pissoir bei einer Kunstausstellung ein. Es wurde abgelehnt, aber heftig diskutiert. Später wurde das Pinkelbecken in einer Galerie gezeigt. Danach ist es verschollen, vermutlich wurde es weggeworfen. Weggeputzt wurde auch ein Werk des Künstlers Joseph Beuys – eine Fettecke.

***2)** Dazu gibt es eine eigene Forschungsrichtung, die **Atom-Semiotik.** Vorgeschlagen wurde unter anderem: Ein Ritual erfinden und regelmäßig ausüben, Sagen und Legenden in der Gegend verbreiten, Erdwälle, Steinsäulen, oder ein Dornendickicht errichten und von Generation zu Generation weitersagen.

***3)** In vielen Städten haben sich Menschen zu **Tafeln** zusammengeschlossen. Sie holen aussortiertes, aber einwandfreies Essen von den Läden ab und bringen es zu Sammelstellen. Dort können arme Menschen das Essen abholen. Weil es immer mehr Bedürftige gibt und die Läden versuchen, weniger wegzuwerfen, hat es schon Streit gegeben, wer dieses Essen bekommen darf.

***4) Containern,** also Weggeworfenes aus Müllcontainern holen, gilt in Deutschland als Diebstahl und wird von der Polizei verfolgt. In Österreich und der Schweiz ist es erlaubt. Supermärkte versuchen Mülldiebe manchmal auch dadurch abzuschrecken, dass sie Chemikalien über das weggeworfene Essen kippen.

***5)** Viele unserer alten Sachen aus dem **Altkleidercontainer** werden in ärmere Länder verkauft. Manche Länder haben die Einfuhr inzwischen verboten, denn die billige Kleidung aus reichen Ländern macht es einheimischen Schneidern schwer, ihre Sachen zu verkaufen.

***6)** Die Insel, die **Charles Moore** entdeckt hat, heißt jetzt **Great Pacific Garbage Patch,** Großer Pazifikmüllfleck. Ihm widmet Charles Moore seither sein Leben. Er setzt sich dafür ein, dass das Problem erforscht und weltweit bekannt gemacht wird.

***7) Bea Johnson** aus den USA lebt mit ihrer Familie seit dem Jahr 2008 beinahe müllfrei. Über ihre Erfahrungen hat sie ein Buch geschrieben. Sie erhielt viele Preise, aber auch Kritik und Drohungen. Pokale nimmt sie übrigens nicht an: Es sind in ihren Augen Gegenstände, die sie nicht braucht und irgendwann wegwerfen wird. Also Müll.

No plastic bags!

***8)** Im Jahr 2008 hat das afrikanische Land **Ruanda** als erstes Land der Welt Plastiktüten verboten. Kühe fraßen die herumliegenden Tüten und starben daran. Mit einem Plastikbeutel darf man dort gar nicht mehr einreisen. Immer mehr Städte, Regionen und Länder folgen diesem Beispiel und erlassen Verbote für Plastiktüten und andere Einmal-Dinge aus Plastik.

***9)** Die Müllhäuser hat sich der amerikanische Architekt **Michael Reynolds** ausgedacht. Sie brauchen keine Heizung. Die dicken Wände speichern im Winter die Wärme und halten sie im Sommer draußen. In Deutschland durften diese Häuser zunächst nicht gebaut werden: Müll muss hier in die Verbrennungsanlage oder auf die Deponie.